¡Advertencia!

Ardilla Miedosa suplica de la manera más atenta que todos se pongan orejeras antes de leer este libro.

Watt, Mélanie
        El cumpleaños de Ardilla Miedosa / Texto e ilus. de Mélanie Watt ;
trad. de Javier Elizondo. – México : Ediciones SM, 2011 [reimp. 2015]
32 p. : il. ; 20 x 20 cm.

ISBN : 978-607-240-042-9

1. Cuentos infantiles. 2. Humor – Libros ilustrados para niños. 3. Amistad –
Libros ilustrados para niños. I. Elizondo, Javier, tr. II. t.

Dewey 813 W3818

Título original: *Scaredy Squirrel has a birthday party*

Traducción: Javier Elizondo

Primera edición D. R. © Kids Can Press Ltd.
D. R. © Texto e ilustraciones: Mélanie Watt, 2011
Diseño: Mélanie Watt y Karen Powers
Publicado con el permiso de Kids Can Press Ltd.,
Toronto, Ontario, Canadá.

El cumpleaños de Ardilla Miedosa
Primera edición en México, 2011
Segunda reimpresión, 2015
D. R. © SM de Ediciones, S. A. de C. V., 2011
Magdalena 211, Colonia del Valle,
03100, México, D. F.
Tel.: (55) 1087 8400
Para conocer SM, su fondo editorial y sus servicios: ediciones-sm.com.
mx

ISBN: 978-607-24-0042-9

Miembro de la Cámara Nacional de la Industria Editorial Mexicana
Registro número 2830

El cumpleaños de Ardilla Miedosa
se terminó de imprimir en septiembre de 2015
en Paramount Printing Company Ltd.
3 Chun Kwong Street, TKO Industrial Estate
Tseung Kwan O, Kowloon
Hong Kong, China

Para Maxime,
Marc-Olivier, Thomas,
Cédric, Victoria,
Simon, Guillaume,
Camille, Jérôme, Louis,
Maude y Janique

El cumpleaños de

Ardilla Miedosa

Mélanie Watt

ediciones **sm**

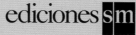

Ardilla Miedosa nunca hace grandes fiestas de cumpleaños.
Prefiere celebrar sola, tranquilamente, en su árbol,
que hacer fiestas allá abajo y correr el riesgo de toparse
con alguna sorpresa.

Algunas de las sorpresas que podrían arruinar la fiesta de Ardilla Miedosa:

Pez payaso

Hormigas

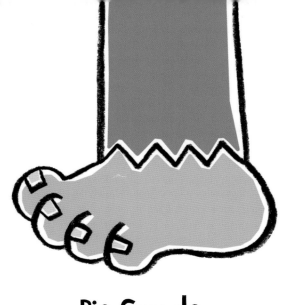

Pie Grande

Confeti

Ponis

Puercoespines

Así que prefiere planear una celebración más pequeña en donde ella sea el alma solitaria de la fiesta.

LISTA DE PENDIENTES PARA LA FIESTA DE CUMPLEAÑOS

A) Confirmar fecha de nacimiento ☑

B) Escoger un lugar seguro ☑

C) Elegir colores de la fiesta ☑

D) Llevar esmoquin a la tintorería ☑

E) Preparar pastel ☑

F) Practicar respiración ☑
(para inflar los globos/soplarles a las velas)

G) Enviarme invitación por correo ☐

PRUEBA A ⬇

ACTA DE NACIMIENTO

Se certifica que ___Ardilla Auxilio Miedosa___

nació el ___3 de octubre___

a las ___1:28 con 6 segundos___ en ___un árbol de bellotas___.

Pesó ___14.8___ gramos   Midió ___8.24___ cm

Linda _Sí_   Dientes _NO_   Pulgas _NO_

Huella de pata izquierda   Huella de pata derecha

IMPORTANTE DOCUMENTO OFICIAL DE ROEDOR

PRUEBA B ⬊

PRUEBA C ⮕

PRUEBA D

221

PRUEBA E

RECETA DE PASTEL DE BELLOTA

2 tazas de harina
1 taza de azúcar morena
1 huevo
1 taza de leche
¼ de aceite de canola
1 cda. de bicarbonato
1 cda. de levadura
½ cda. de sal
8 tazas de bellotas (1 taza para no roedores)

INSTRUCCIONES DE MIEDOSA PARA HORNEAR:
Precalentar el horno a 176 grados y tener cerca el extintor.
Combinar los ingredientes secos y añadir
el huevo, la leche y el aceite. ¡No olvidar las bellotas!
Verificar fechas de caducidad de todos los ingredientes
Batir en dirección de las manecillas del reloj.
Vaciar cuidadosamente en molde engrasado.
Hornear durante 45 minutos y 32 segundos exactamente.
Retirar usando guantes de cocina reforzados.
Dejar enfriar y decorar (que sea agradable a la vista).

PRUEBA F

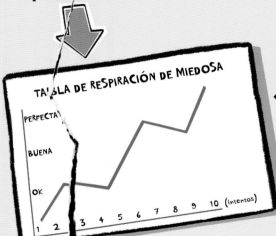

TABLA DE RESPIRACIÓN DE MIEDOSA

PERFECTA
BUENA
OK
1 2 3 4 5 6 7 8 9 10 (intentos)

PRUEBA G

Miedosa
¡ESTÁS INVITADO A LA FIESTA DE CUMPLEAÑOS DE ARDILLA MIEDOSA!

¿Cuándo? Hoy a la 1:00 pm.
¿Dónde? Árbol de bellotas,
Avenida Desconocida

◯ ASISTIRÉ
◯ NO ASISTIRÉ, TENGO QUE LAVAR MI PELAJE

Ardilla Miedosa baja
para enviar su invitación,
pero se detiene al encontrar
una tarjeta en el buzón.

LOS PAJARITOS CANTAN
POR LA MAÑANA SU CANCIÓN.
EN EL DÍA DE TU CUMPLEAÑOS
¡LA CANTAN
CON MÁS EMOCIÓN!

Con cariño,
Tu cuate

Miedosa reflexiona un poco.
Concluye que un gesto amable
merece una respuesta amable.

Así que agrega...

Miedosa ~~Miedosa~~ CUATE

¡ESTÁS INVITADO A LA
FIESTA DE CUMPLEAÑOS
DE ARDILLA MIEDOSA!

¿Cuándo? Hoy a la 1:00 pm.
¿Dónde? Árbol de bellotas,
Avenida Desconocida

◯ ASISTIRÉ
◯ NO ASISTIRÉ, TENGO QUE LAVAR MI PELAJE

¡Pero tener un invitado
es una movida arriesgada!

Algunas cosas de último minuto que Miedosa necesita para bajar la fiesta sin correr riesgos:

gafas de seguridad	zanahoria	baraja	orejeras

galletas	estatua de Beethoven	carpa rentada	caña de pescar

PLAN DE CUMPLEAÑOS (FIESTA PARA 2)

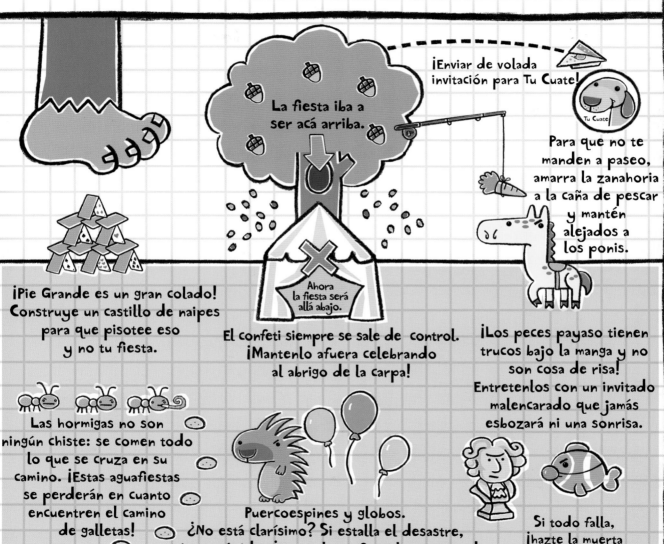

La fiesta iba a ser acá arriba.

¡Enviar de volada invitación para Tu Cuate!

Tu Cuate

Para que no te manden a paseo, amarra la zanahoria a la caña de pescar y mantén alejados a los ponis.

Ahora la fiesta será allá abajo.

¡Pie Grande es un gran colado! Construye un castillo de naipes para que pisotee eso y no tu fiesta.

El confeti siempre se sale de control. ¡Mantenlo afuera celebrando al abrigo de la carpa!

¡Los peces payaso tienen trucos bajo la manga y no son cosa de risa! Entretenlos con un invitado malencarado que jamás esbozará ni una sonrisa.

Las hormigas no son ningún chiste: se comen todo lo que se cruza en su camino. ¡Estas aguafiestas se perderán en cuanto encuentren el camino de galletas!

Puercoespines y globos. ¿No está clarísimo? Si estalla el desastre, piensa rápido: ¡ponte las gafas y las orejeras!

Si todo falla, ¡hazte la muerta y cancela la fiesta!

¡ATENCIÓN! ¡El secreto para una fiesta exitosa es prestar atención a los detalles!

DETALLE 1: ESCOGE TEMAS DE CONVERSACIÓN

BUENA IDEA

¿No te parece que el clima nos ha tratado de maravilla?

¿Vienes seguido por aquí?

Si fueras un árbol, ¿qué tipo de árbol serías?

MALA IDEA

Antes de que nos demos las patas... ¿has revisado que no tengas pulgas?

Dicen que las mentas ayudan para el mal aliento. ¡Pst! Toma una...

¿Tienes una rata en la cabeza? Uy... es tu peluca.

DETALLE 2: DEFINE LOS SÍ Y NO DE LA FIESTA

DETALLE 3: DEFINIR EL PROGRAMA DE LA FIESTA

1:00 p.m.	Servir ponche	
1:01 p.m.	Cuidarse de:	
1:03 p.m.	Servir dip	
1:06 p.m.	Lavarse los dientes	
1:09 p.m.	Platicar un poco	
1:19 p.m.	Un tranquilo juego de dominó	
1:24 p.m.	Cuidarse de:	
1:26 p.m.	Ubicar extintor	

1:27 p.m.	Sacar el pastel	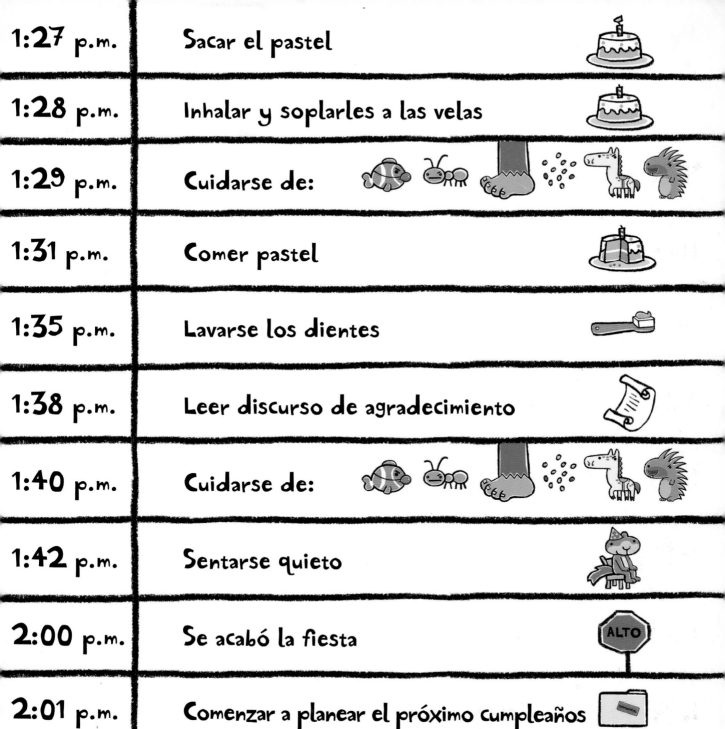
1:28 p.m.	Inhalar y soplarles a las velas	
1:29 p.m.	Cuidarse de:	
1:31 p.m.	Comer pastel	
1:35 p.m.	Lavarse los dientes	
1:38 p.m.	Leer discurso de agradecimiento	
1:40 p.m.	Cuidarse de:	
1:42 p.m.	Sentarse quieto	
2:00 p.m.	Se acabó la fiesta	
2:01 p.m.	Comenzar a planear el próximo cumpleaños	

Paso a paso, Ardilla Miedosa prepara su fiesta. Le queda todo perfecto, hasta **el último detalle**.

Pero a la 1:00 pm...

¡Sorpresa!... Aparecen los perros pachangueros

¡Esto
NO era
parte del plan!

Persigue. . .

Grita. . .

Se agacha. . .

Se congela y. . .

Ardilla Miedosa finalmente abre los ojos y ve que la vela del pastel está encendida y todos están quietos y sentados.

Miedosa le sopla
a la vela de cumpleaños.
Se olvida del pez payaso,
de las hormigas, de Pie
Grande, del confeti,
de los ponis y de los
puercoespines.

¡Esta fiesta será
pan comido!

¡FELIZ CUMPLEAÑOS!

Después, Ardilla Miedosa
recibe algo inesperado.

PARA:
MIEDOSA

REGALO DE CUMPLEAÑOS

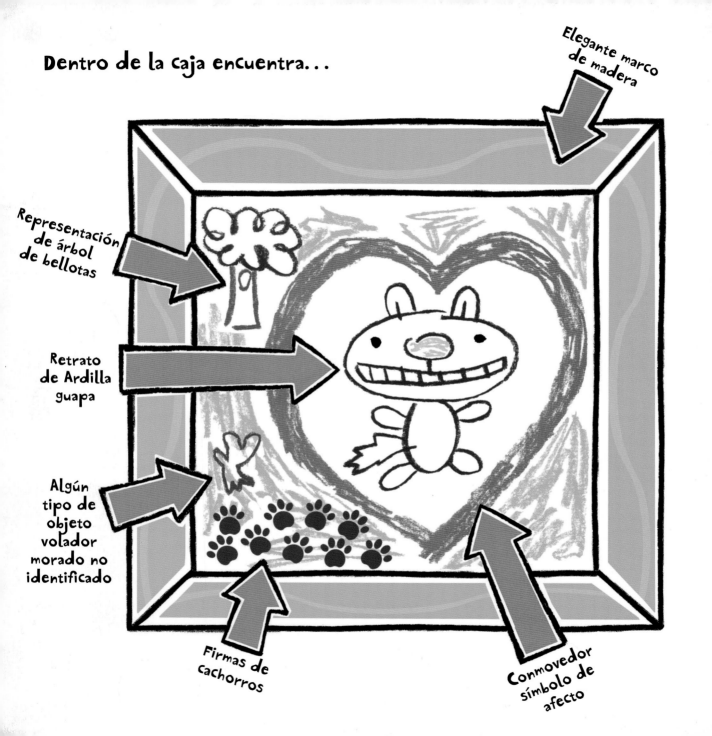

Dentro de la caja encuentra...

Elegante marco de madera

Representación de árbol de bellotas

Retrato de Ardilla guapa

Algún tipo de objeto volador morado no identificado

Firmas de cachorros

Conmovedor símbolo de afecto

Miedosa reflexiona un poco.
Concluye que un gesto amable merece
una respuesta amable.

Así que prepara la invitación
para el próximo año...

~~Miedosa~~ CUATE Más: Nuez,
Castaña,
Cacahuate,
Avellana,
Coco,
Piñón,
Pistache,
Mack y
Damián

¡ESTÁS INVITADO A LA
FIESTA DE CUMPLEAÑOS
DE ARDILLA MIEDOSA!
en un año
¿Cuándo? ~~Hoy~~ a la 1:00 pm.
¿Dónde? Árbol de bellotas,
Calle desconocida
◯ ASISTIRÉ
◯ NO ASISTIRÉ, TENGO QUE LAVAR MI PELAJE

LISTA DE PENDIENTES PARA EL PRÓXIMO CUMPLEAÑOS

NO. (FIESTA PARA 11)

A) Confirmar fecha de nacimiento ☐

B) Rentar carpa ☐

C) Escoger colores de la fiesta ☐

D) Vestir casual ☐

E) Preparar pastel más grande ☐

F) Ejercicios de respiración para relajarse ☐

G) Plastificar todo ☐

H) Comprar galletas para perro ☐

M) Buscar unos buenos tenis ☐

N) Ponerse tapones de oídos ☐

O) Comprar muchos cepillos de dientes ☐

P) Conseguir un frisbee ☐

Q) Instalar dispensador de gel antibacterial ☐

U) Rentar bacinica portátil ☐

V) Comprar platos desechables ☐

W) Memorizar el discurso

P.D. La fiesta dejó a Ardilla Miedosa sin palabras.

Discurso de agradecimient